문희

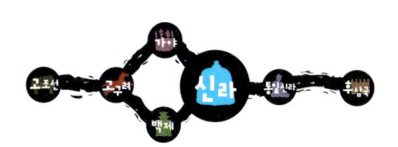

꿈을 사서 왕비가 되다

원작 일연 글 구들 그림 손다혜 감수 최광식

눈부신 연분홍 벚꽃이 서라벌*을 물들였어요.

눈송이처럼 떨어지는 꽃잎 사이로 아리따운 아가씨 두 명이 걸어왔지요.

이들은 김서현의 딸들로 언니 이름은 보희, 동생 이름은 문희였어요.

두 사람 다 미인이었지만 생김새와 성격은 달랐답니다.

보희는 희고 갸름한 얼굴에 크지도 작지도 않은 눈을 가진 조용한 처녀였어요.

연분홍 저고리에 연두색 치마를 입은 보희는 조심스럽게 그늘로만 걸었어요.

문희는 동그란 얼굴에 눈이 크고 시원스런 활달한 처녀였어요.

문희는 크고 대담한 소용돌이 무늬가 그려진 치마에 짙은 보라색 저고리를 받쳐 입고서는

연신 주변을 두리번거리며 성큼성큼 걸었지요.

"아, 정말 봄이 한창이네! 나도 올해는 시집가고 싶어."

보희는 문희를 흘겨보며 나무랐어요.

"문희야, 처녀가 그런 말을 어떻게……. 넌 부끄럽지도 않니?"

보희의 말에 문희는 까르르 웃으며 대답했답니다.

"언니도 시집가고 싶지?

장롱 안에 예쁜 옷과 장신구를 잔뜩 모아 놓은 걸 내가 모를 줄 알아?"

보희는 얼굴이 빨갛게 달아올랐어요.

* 서라벌 : 신라의 옛 이름

3

"남의 장롱은 왜 뒤지고 그러니?"
무안해진 보희는 톡 쏘아붙이고는 뾰로통해져서 돌아섰어요.
문희는 빙그레 웃으며 보희를 달랬어요.
"오늘은 유신 오라버니가 돌아오는 날이잖아. 그러니 화 풀어, 응? 미안해."
보희는 문희를 흘낏 쳐다보고선 다시 함께 걷기 시작했어요.
보희와 문희의 오빠 김유신은 화랑*이었어요.
그날은 김유신이 다른 화랑들과 여행을 떠났다가 돌아오는 날이었답니다.
문희와 보희는 오빠가 좋아하는 음식을 만들어 주고 싶었어요.
그래서 직접 음식 재료를 사러 나왔어요.

*화랑 : 신라 때 무예를 익히고 심신을 단련하여 삼국 통일에 이바지한 청소년 수련 단체나 그에 속한 사람

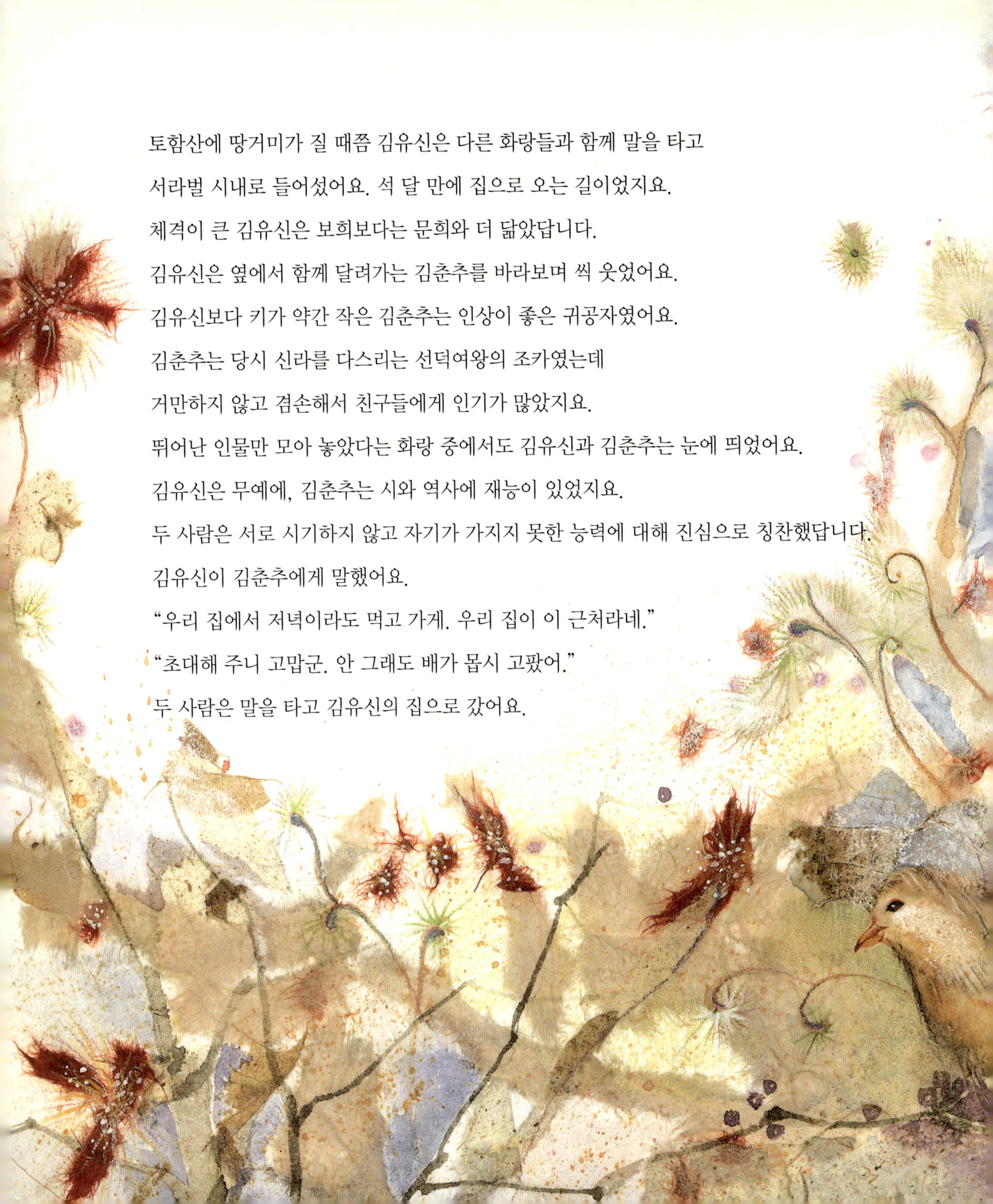

토함산에 땅거미가 질 때쯤 김유신은 다른 화랑들과 함께 말을 타고
서라벌 시내로 들어섰어요. 석 달 만에 집으로 오는 길이었지요.
체격이 큰 김유신은 보희보다는 문희와 더 닮았답니다.
김유신은 옆에서 함께 달려가는 김춘추를 바라보며 씩 웃었어요.
김유신보다 키가 약간 작은 김춘추는 인상이 좋은 귀공자였어요.
김춘추는 당시 신라를 다스리는 선덕여왕의 조카였는데
거만하지 않고 겸손해서 친구들에게 인기가 많았지요.
뛰어난 인물만 모아 놓았다는 화랑 중에서도 김유신과 김춘추는 눈에 띄었어요.
김유신은 무예에, 김춘추는 시와 역사에 재능이 있었지요.
두 사람은 서로 시기하지 않고 자기가 가지지 못한 능력에 대해 진심으로 칭찬했답니다.
김유신이 김춘추에게 말했어요.
"우리 집에서 저녁이라도 먹고 가게. 우리 집이 이 근처라네."
"초대해 주니 고맙군. 안 그래도 배가 몹시 고팠어."
두 사람은 말을 타고 김유신의 집으로 갔어요.

7

김유신의 집에서는 맛있는 냄새가 풍겼어요.

말발굽 소리를 듣고 부엌에서 하얀 앞치마를 두른 보희가 나왔지요.

"오라버니, 고생 많으셨어요."

"고생은 무슨, 좋은 경험하고 왔지. 이분은 나와 가장 친한 친구이자 여왕 폐하의 조카되는 김춘추 공이시다. 인사하거라."

보희는 발갛게 상기된 얼굴로 다소곳이 인사했어요.

김춘추는 잠시 보희의 아름다움에 마음을 빼앗겼답니다.

"그런데 문희가 보이지 않는구나. 문희는 어디 갔지?"

"오라버니, 저 여기 있어요!"

어디선가 문희의 밝은 목소리가 들려왔어요.

두리번거리던 김춘추는 깜짝 놀랐어요.

문희가 나무 위에 올라가 있는 게 아니겠어요?

그러나 김유신은 놀라지 않았어요.

"문희, 너 또 나무를 탔구나. 아버지에게 야단맞으려고."
"오라버니가 어디까지 오셨나 궁금해서 올라와 봤죠.
오라버니와 친구분이 말을 타고 저쪽 골목을 달려오시는 것도 봤어요."
김춘추에게는 처음 보는 남자 앞에서도 전혀 부끄러워하지 않는 문희가
다른 여자들과는 많이 달라 보였어요.

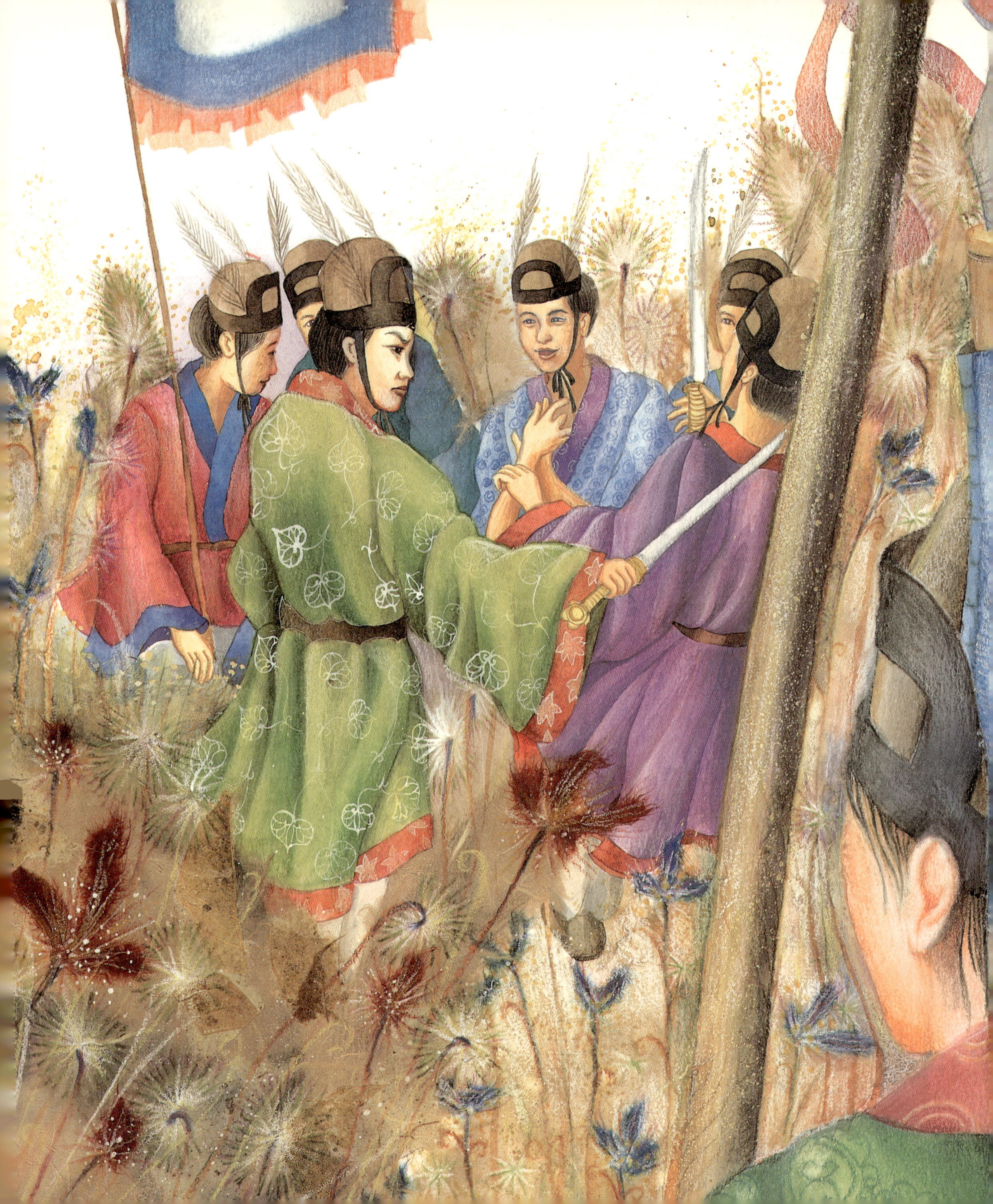

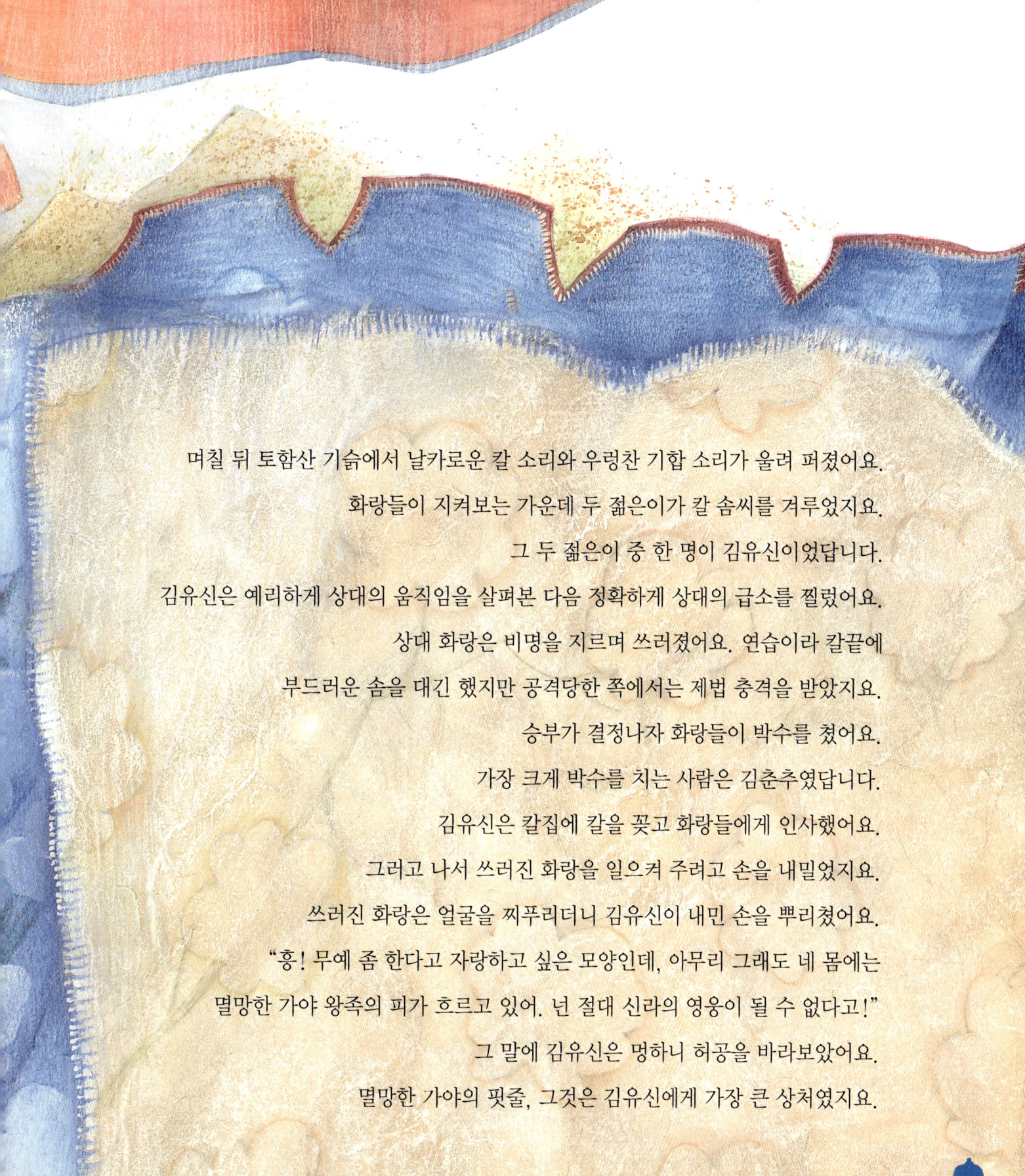

며칠 뒤 토함산 기슭에서 날카로운 칼 소리와 우렁찬 기합 소리가 울려 퍼졌어요.
화랑들이 지켜보는 가운데 두 젊은이가 칼 솜씨를 겨루었지요.
그 두 젊은이 중 한 명이 김유신이었답니다.
김유신은 예리하게 상대의 움직임을 살펴본 다음 정확하게 상대의 급소를 찔렀어요.
상대 화랑은 비명을 지르며 쓰러졌어요. 연습이라 칼끝에
부드러운 솜을 대긴 했지만 공격당한 쪽에서는 제법 충격을 받았지요.
승부가 결정나자 화랑들이 박수를 쳤어요.
가장 크게 박수를 치는 사람은 김춘추였답니다.
김유신은 칼집에 칼을 꽂고 화랑들에게 인사했어요.
그러고 나서 쓰러진 화랑을 일으켜 주려고 손을 내밀었지요.
쓰러진 화랑은 얼굴을 찌푸리더니 김유신이 내민 손을 뿌리쳤어요.
"흥! 무예 좀 한다고 자랑하고 싶은 모양인데, 아무리 그래도 네 몸에는
멸망한 가야 왕족의 피가 흐르고 있어. 넌 절대 신라의 영웅이 될 수 없다고!"
그 말에 김유신은 멍하니 허공을 바라보았어요.
멸망한 가야의 핏줄, 그것은 김유신에게 가장 큰 상처였지요.

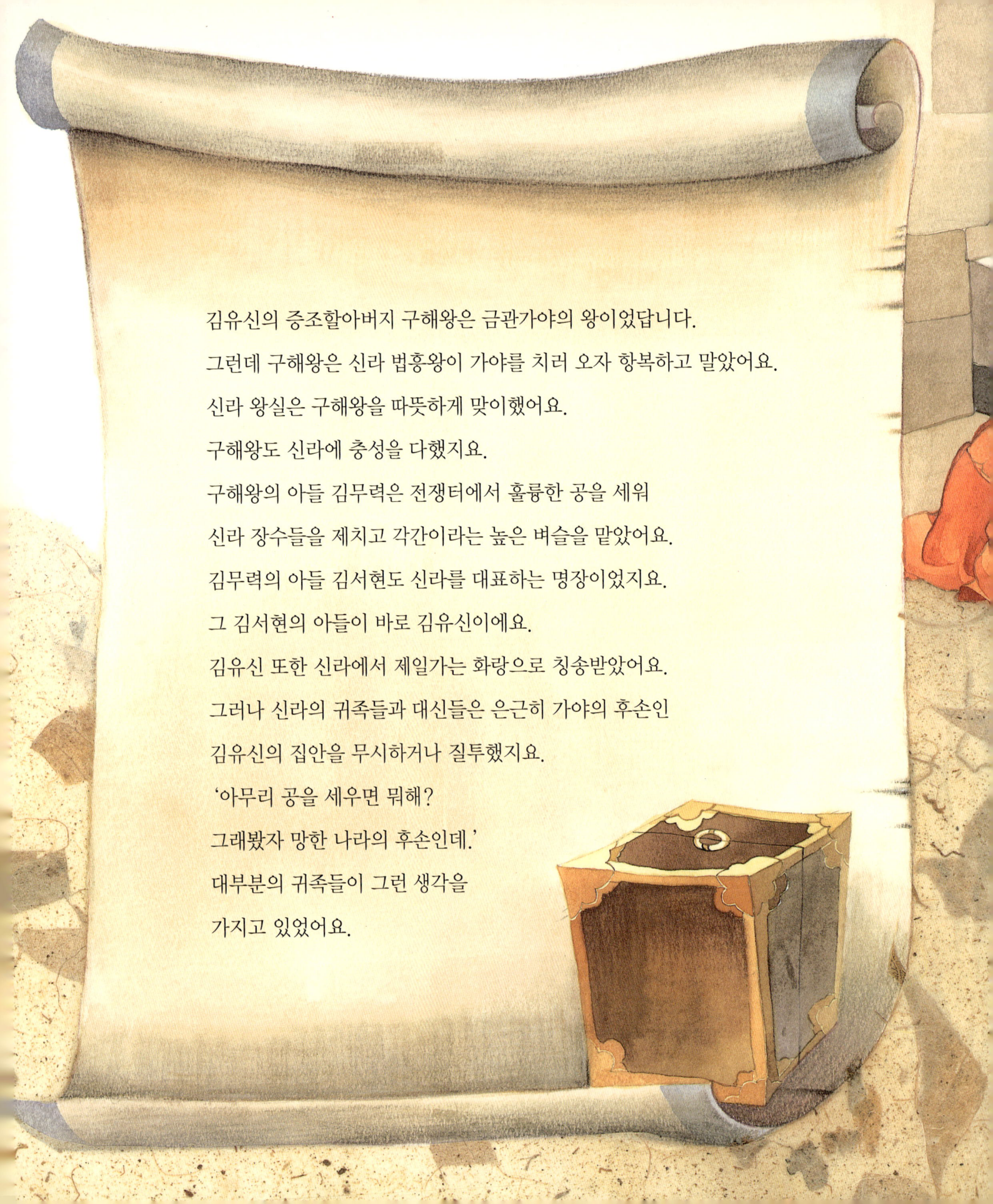

김유신의 증조할아버지 구해왕은 금관가야의 왕이었답니다.

그런데 구해왕은 신라 법흥왕이 가야를 치러 오자 항복하고 말았어요.

신라 왕실은 구해왕을 따뜻하게 맞이했어요.

구해왕도 신라에 충성을 다했지요.

구해왕의 아들 김무력은 전쟁터에서 훌륭한 공을 세워

신라 장수들을 제치고 각간이라는 높은 벼슬을 맡았어요.

김무력의 아들 김서현도 신라를 대표하는 명장이었지요.

그 김서현의 아들이 바로 김유신이에요.

김유신 또한 신라에서 제일가는 화랑으로 칭송받았어요.

그러나 신라의 귀족들과 대신들은 은근히 가야의 후손인

김유신의 집안을 무시하거나 질투했지요.

'아무리 공을 세우면 뭐해?

그래봤자 망한 나라의 후손인데.'

대부분의 귀족들이 그런 생각을

가지고 있었어요.

13

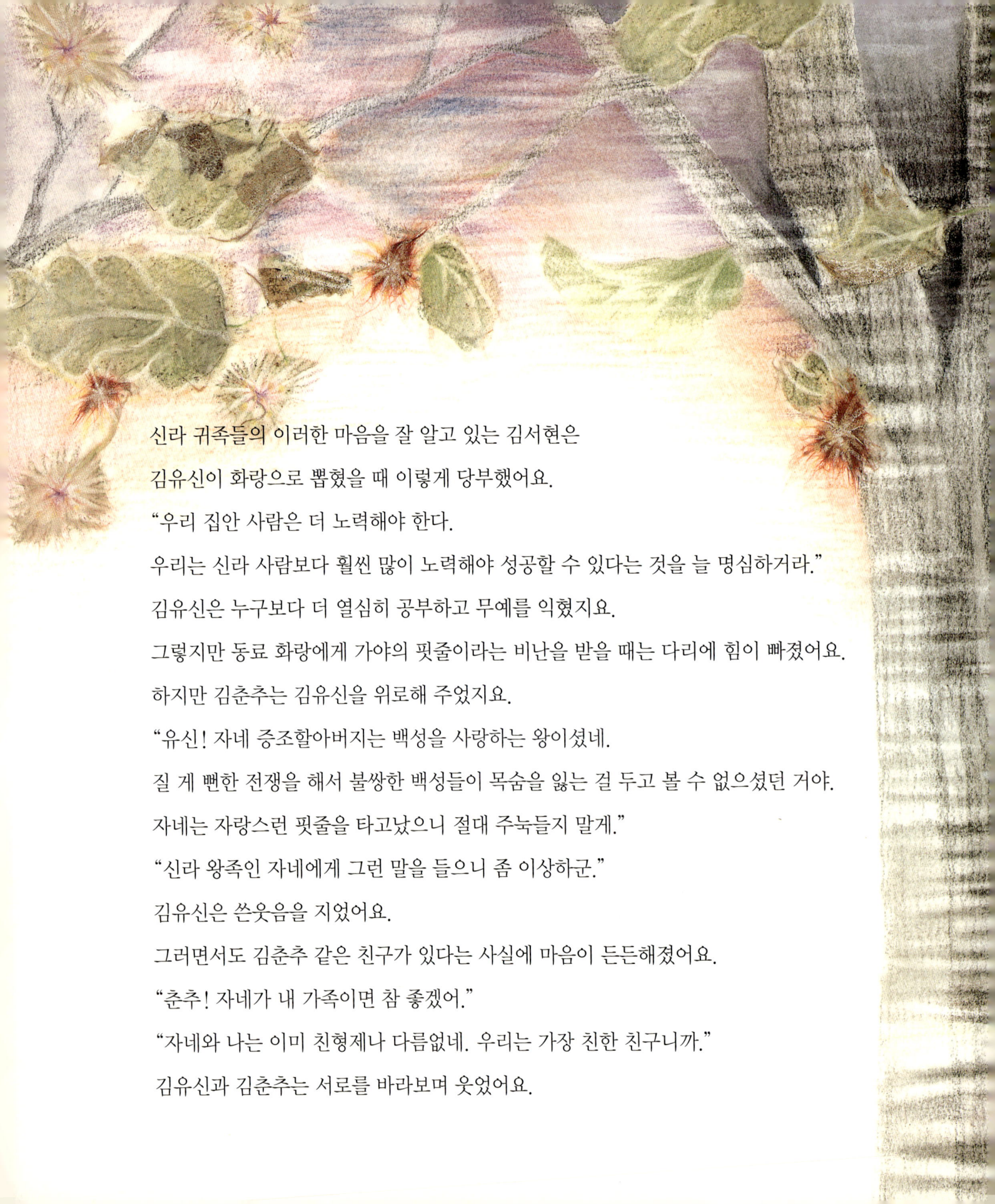

신라 귀족들의 이러한 마음을 잘 알고 있는 김서현은
김유신이 화랑으로 뽑혔을 때 이렇게 당부했어요.
"우리 집안 사람은 더 노력해야 한다.
우리는 신라 사람보다 훨씬 많이 노력해야 성공할 수 있다는 것을 늘 명심하거라."
김유신은 누구보다 더 열심히 공부하고 무예를 익혔지요.
그렇지만 동료 화랑에게 가야의 핏줄이라는 비난을 받을 때는 다리에 힘이 빠졌어요.
하지만 김춘추는 김유신을 위로해 주었지요.
"유신! 자네 증조할아버지는 백성을 사랑하는 왕이셨네.
질 게 뻔한 전쟁을 해서 불쌍한 백성들이 목숨을 잃는 걸 두고 볼 수 없으셨던 거야.
자네는 자랑스런 핏줄을 타고났으니 절대 주눅들지 말게."
"신라 왕족인 자네에게 그런 말을 들으니 좀 이상하군."
김유신은 쓴웃음을 지었어요.
그러면서도 김춘추 같은 친구가 있다는 사실에 마음이 든든해졌어요.
"춘추! 자네가 내 가족이면 참 좋겠어."
"자네와 나는 이미 친형제나 다름없네. 우리는 가장 친한 친구니까."
김유신과 김춘추는 서로를 바라보며 웃었어요.

15

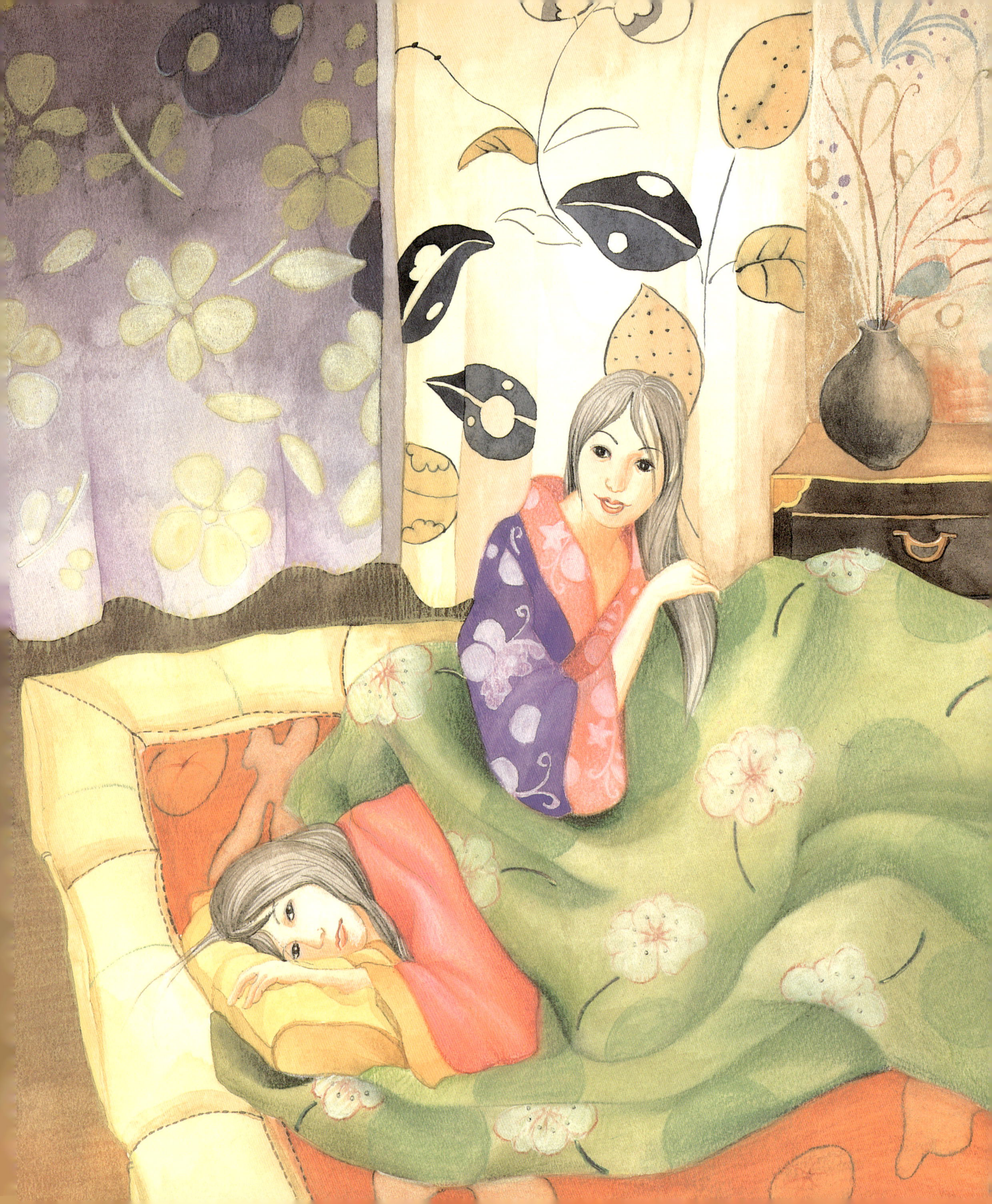

"언니! 춘추 공 정말 멋지지 않아?"

이제 막 감은 머리의 물기를 닦아 내며 문희가 물었어요.

"글쎄, 난 잘 모르겠던데."

이부자리를 펴던 보희는 새침하게 말했지요.

"난 춘추 공이 마음에 들어. 춘추 공이 청혼하면 당장 받아들일 텐데."

사실 보희의 가슴도 두근두근 뛰었어요.

보희도 춘추 공이 마음에 들었거든요.

그러나 보희는 문희보다 철이 들었기에 현실을 잘 알고 있었지요.

"문희야, 춘추 공은 여왕 폐하의 조카야.

그런데 어떻게 네가 그분과 혼인을 하니?"

그러나 문희는 야무지게 말했어요.

"춘추 공이 나를 좋아하지 않는다면 나도 포기하겠지만

신분 때문에 물러서는 일은 절대 없을 거야."

밤은 점점 깊어 가고 있었어요.

그러나 문희도, 보희도 좀체 잠을 이루지 못했답니다.

그런데 잠들었던 보희가 소리를 지르며 벌떡 일어났어요.

문희도 덩달아 잠에서 깼지요.

"문희야, 정말 망측한 꿈을 꿨어. 내가 토함산에 올라갔는데 오줌이 마려운 거야. 그래서 사람 없는 곳을 찾아 몰래 오줌을 누었지. 그랬더니 오줌에 서라벌이 다 잠겨 버린 거 있지? 아이, 부끄러워. 처녀가 그런 꿈을 꾸다니."

"서라벌이 다 잠겼다고? 그건 언니가 대단한 힘을 가지게 된다는 뜻이 아닐까?"

보희는 고개를 저었어요.

"그럴 리가 없어. 생각하기도 싫어."

그러자 문희가 제안했답니다.

"언니가 갖고 싶어하는 내 비단 치마를 줄 테니까 그 꿈을 나한테 팔아."

보희는 망측한 꿈을 예쁜 치마와 바꾼다는 게 미안했지만, 그 꿈을 얼른 잊어버리고 싶고 치마도 탐이 나서 고개를 끄덕였어요.

문희는 장롱에서 치마를 꺼내 보희에게 주고는 창문을 열었지요.

그리고 환하게 빛나는 달님을 향해 기도를 올렸어요.
"달님! 이제 서라벌이 잠기도록 오줌을 눈 건 보희가 아니라 문희입니다.
이것을 잊지 마시고 제 꿈을 이뤄 주세요."
보희는 그런 문희를 기가 막히다는 듯 바라보았답니다.

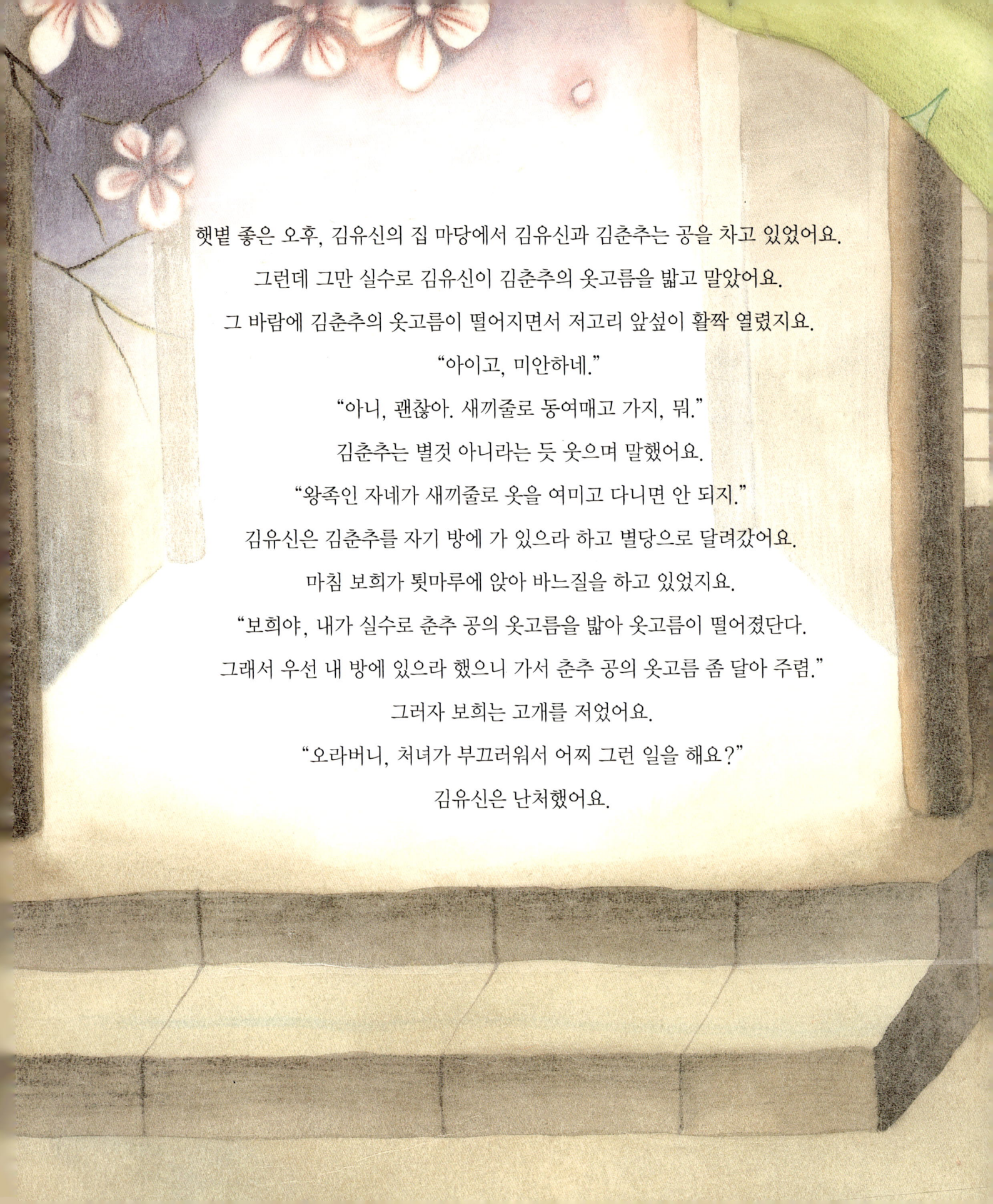

햇볕 좋은 오후, 김유신의 집 마당에서 김유신과 김춘추는 공을 차고 있었어요.
그런데 그만 실수로 김유신이 김춘추의 옷고름을 밟고 말았어요.
그 바람에 김춘추의 옷고름이 떨어지면서 저고리 앞섶이 활짝 열렸지요.
"아이고, 미안하네."
"아니, 괜찮아. 새끼줄로 동여매고 가지, 뭐."
김춘추는 별것 아니라는 듯 웃으며 말했어요.
"왕족인 자네가 새끼줄로 옷을 여미고 다니면 안 되지."
김유신은 김춘추를 자기 방에 가 있으라 하고 별당으로 달려갔어요.
마침 보희가 툇마루에 앉아 바느질을 하고 있었지요.
"보희야, 내가 실수로 춘추 공의 옷고름을 밟아 옷고름이 떨어졌단다.
그래서 우선 내 방에 있으라 했으니 가서 춘추 공의 옷고름 좀 달아 주렴."
그러자 보희는 고개를 저었어요.
"오라버니, 처녀가 부끄러워서 어찌 그런 일을 해요?"
김유신은 난처했어요.

21

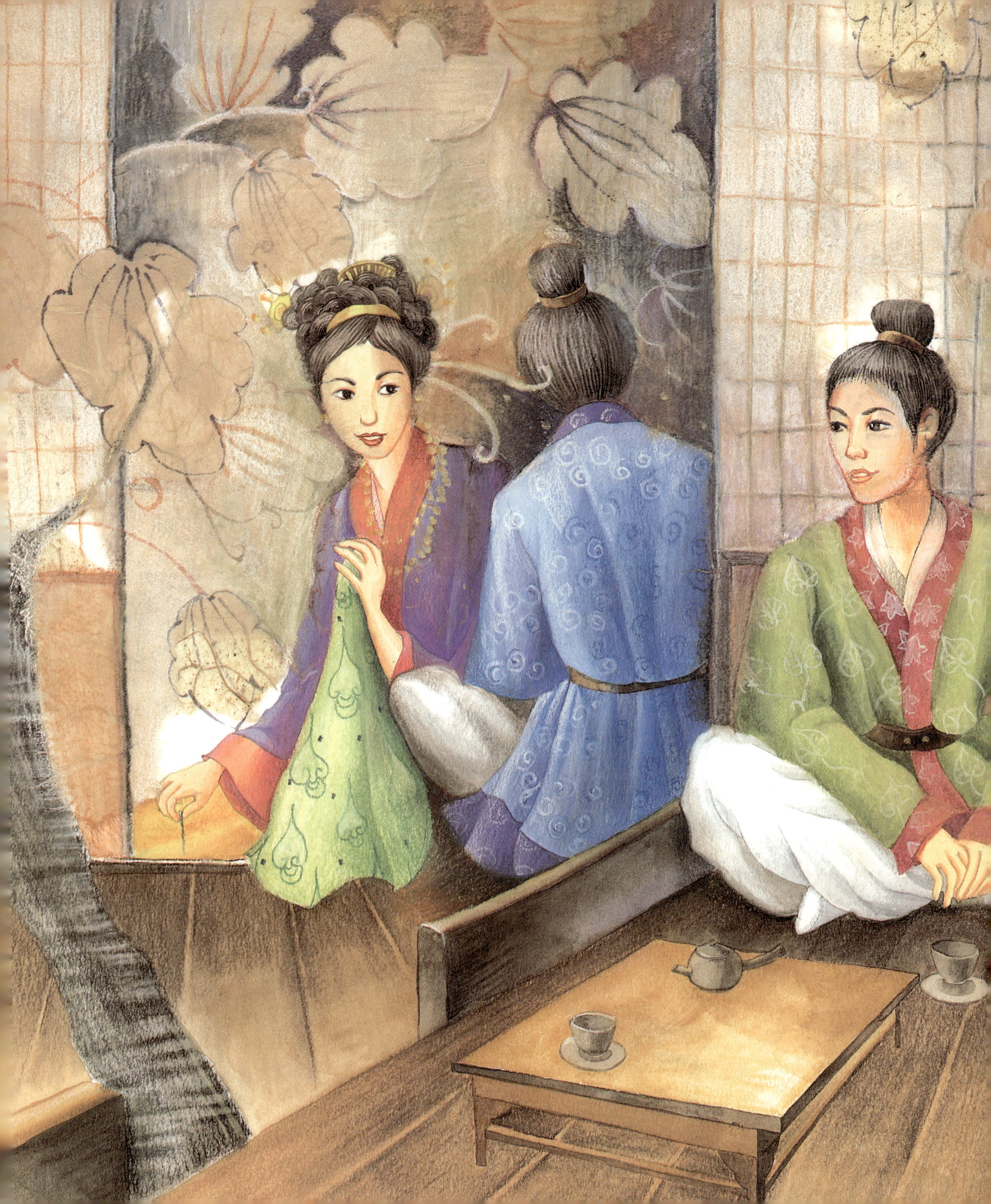

그때 방문이 드르륵 열리더니 문희가 고개를 내밀었어요.

"오라버니, 제가 할게요."

"그래, 고맙다. 어서 가서 좀 도와주렴."

문희는 반짇고리*를 챙겨 들고 김춘추가 기다리는 방으로 들어갔어요.

문희를 보자 오히려 김춘추가 더 당황했지요.

그러나 문희는 여유 있게 미소를 지으며 김춘추의 옷고름을 꿰매 주었어요.

아름다운 목소리로 노래까지 부르면서 즐겁게 바느질을 하는

문희의 모습을 바라보던 김춘추는 자기도 모르게

마음이 끌리기 시작했어요.

활달하고 솔직한 성격의 문희는

지금까지 김춘추가 대궐에서 보던 왕족 아가씨들과는 달랐답니다.

김춘추와 문희의 시선이 자꾸만 마주쳤어요.

서로에 대한 사랑이 싹트기 시작한 거예요.

*반짇고리 : 바느질에 쓰이는 가위, 실, 바늘 따위를 담아 두는 그릇

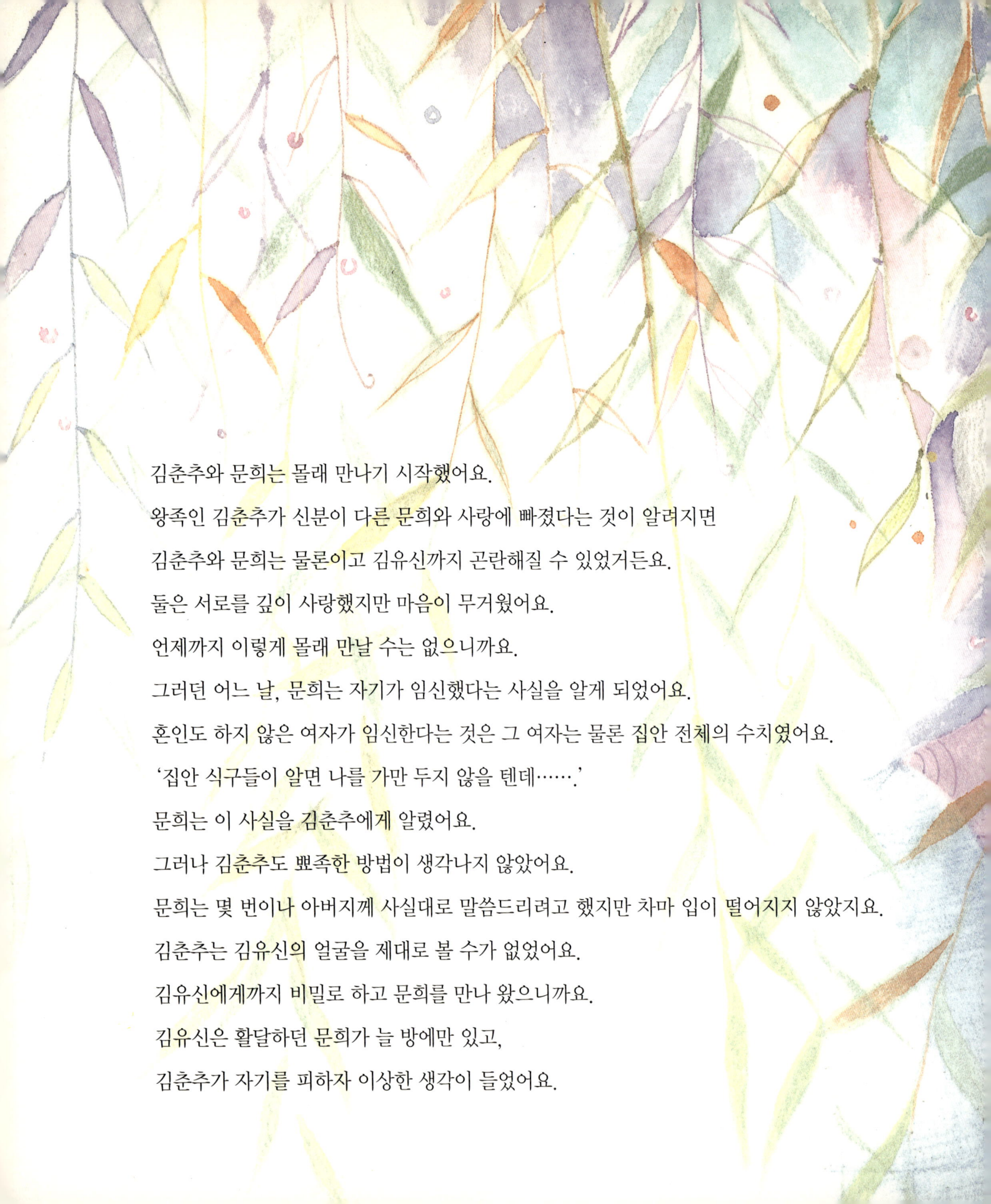

김춘추와 문희는 몰래 만나기 시작했어요.

왕족인 김춘추가 신분이 다른 문희와 사랑에 빠졌다는 것이 알려지면

김춘추와 문희는 물론이고 김유신까지 곤란해질 수 있었거든요.

둘은 서로를 깊이 사랑했지만 마음이 무거웠어요.

언제까지 이렇게 몰래 만날 수는 없으니까요.

그러던 어느 날, 문희는 자기가 임신했다는 사실을 알게 되었어요.

혼인도 하지 않은 여자가 임신한다는 것은 그 여자는 물론 집안 전체의 수치였어요.

'집안 식구들이 알면 나를 가만 두지 않을 텐데……'

문희는 이 사실을 김춘추에게 알렸어요.

그러나 김춘추도 뾰족한 방법이 생각나지 않았어요.

문희는 몇 번이나 아버지께 사실대로 말씀드리려고 했지만 차마 입이 떨어지지 않았지요.

김춘추는 김유신의 얼굴을 제대로 볼 수가 없었어요.

김유신에게까지 비밀로 하고 문희를 만나 왔으니까요.

김유신은 활달하던 문희가 늘 방에만 있고,

김춘추가 자기를 피하자 이상한 생각이 들었어요.

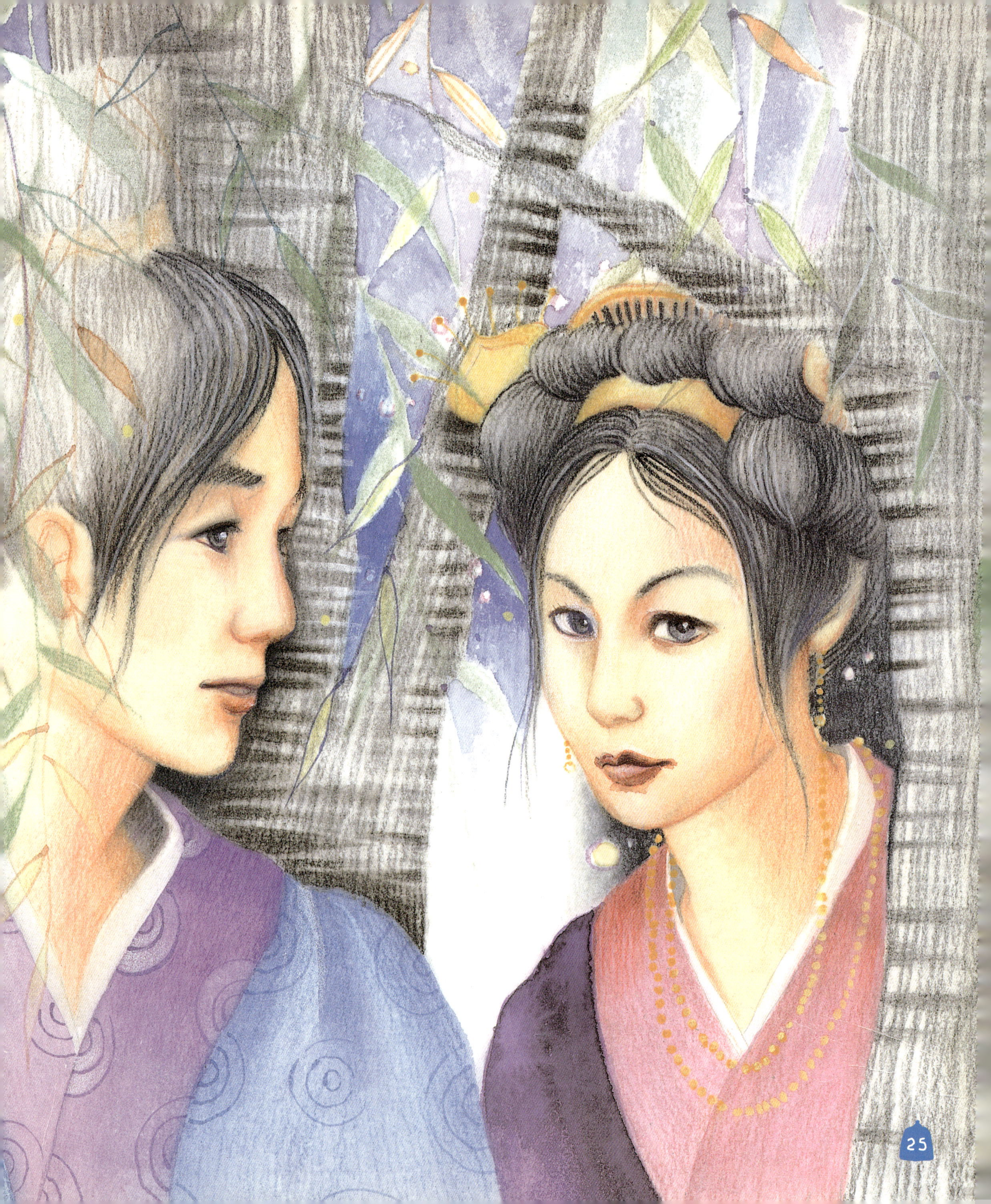

'이래서는 문제가 해결되지 않아.'

문희는 용기를 내어 김유신에게 모든 사실을 털어놓았어요.

김유신은 노발대발했어요.

"혼인도 하지 않은 여자가 임신을 하다니!

너는 우리 집안의 명예에 먹칠을 했다. 너를 죽여 집안의 명예를 되살리겠다."

김유신은 하인들을 시켜 장작을 쌓게 한 다음 명령했어요.

"너는 집안의 수치다! 얼른 이곳으로 올라가거라."

문희는 눈물을 꾹 참으며 장작더미 위로 올라갔어요.

김유신의 명령에 하인들은 울먹이며 장작에 불을 붙였지요.

검은 연기가 뭉실뭉실 피어오르기 시작했어요.

그때, 대신들과 김춘추를 거느리고 첨성대 주변을 산책하던
선덕여왕이 검은 연기를 보게 되었답니다.

"춘추야, 네 친구 유신 공의 집이 저 부근 아니냐? 그 근처에서 불이 났나 보다."

사람들이 연기를 쳐다보고 있는데 김유신 집의 하인이 울며 달려오더니 김춘추 앞에 엎드렸어요.

"제발 우리 문희 아가씨를 살려 주십시오. 문희 아가씨가 춘추 공과 몰래 만나고 임신까지 했다는 걸 안 유신 공께서 지금 문희 아가씨를 불에 태워 죽이려고 하십니다."

그 말에 선덕여왕과 대신들은 모두 놀랐어요. 김춘추는 얼굴이 하얗게 질려 있었지요.

"여봐라, 뭣들 하느냐. 불이 저렇게 타오르고 있는데.

여왕의 명령이니 문희 낭자를 살려 주라고 김유신 공에게 전하거라."

대신들이 김유신의 집으로 달려갔어요.

김춘추는 선덕여왕 앞에 엎드려 애절하게 하소연했어요.

"이모님, 제가 죽을 죄를 지었습니다. 왕족인데도 신분이 다른 문희 낭자를 사랑했습니다.

저는 낭자를 포기할 수 없습니다. 제발 저희들의 혼인을 허락해 주십시오."

선덕여왕은 마음이 따뜻한 사람이었어요. 그래서 김춘추를 일으켜 세우며 말했어요.

"사람의 마음은 신분보다 더 강한 법이다. 왕의 권한으로 너와 문희의 혼인을 허락하마."

그리하여 김춘추와 문희는 성대한 혼례식을 올렸어요.

몇 년 뒤 선덕여왕의 뒤를 이은 진덕여왕마저 자식 없이 죽자 김춘추가 왕이 되었어요.

그리고 문희는 왕비가 되었지요.

문희가 비단 치마 한 벌로 산 꿈, 그것은 바로 왕비가 되는 꿈이었답니다.

목숨을 건 사랑으로 왕비가 된

문희

문희는 신라 제29대 태종무열왕인 김춘추의 아내로, 김유신의 여동생이기도 합니다. 하루는 문희의 언니 보희가 토함산에 올라 오줌을 누었는데 그 오줌이 경주 시내에 가득 차는 꿈을 꿉니다. 꿈에서 깬 보희가 창피해 하며 이 이야기를 하자 문희는 비단 치마 한 벌을 주고 그 꿈을 사지요.

하루는 오빠 김유신이 친구 김춘추와 공놀이를 하다가 김춘추의 옷고름을 밟아 옷고름이 떨어졌지요. 김유신은 보희에게 옷고름을 달아 주라고 시키지만 소심한 성격의 보희는 그럴 수 없다며 사양을 했어요. 이때 언니를 대신하여 문희가 옷고름을 달아 주었는데, 이 일을 계기로 김춘추와 문희는 비밀리에 사랑을 나누게 되었답니다.

신분을 엄격하게 따지던 신라에서 망한 나라 가야의 후손인 문희와 왕족 김춘추가 결혼한다는 것은 불가능한 일이었습니다. 그래서 김유신은 한 가지 꾀를 생각해 냅니다. 당시 신라를 다스리던 제27대 선덕여왕이 남산으로 나가는 때에 맞춰 마당에 장작을 모아 놓고 불을 피워 연기를 내지요. 이를 본 선덕여왕이 궁금하게 여기며 묻자 사람들은 김유신이 자신의 여동생이 결혼도 하지 않은 채 아이를 가져서 여동생을 태워 죽이려고 한다고 말했지요. 놀란 선덕여왕이 모든 사실을 듣고 김춘추와 문희의 결혼을 허락했습니다. 이렇게 문희는 신분의 차이를 극복하고 김춘추와 결혼하게 됩니다. 그리고 김춘추가 제29대 태종무열왕이 되자 신라의 왕비가 된 것이랍니다.

문희는 가야인의 후손이라는 약점을 극복하고 신라의 왕비가 되었어요.

기원전 57년
신라 건국

512년
우산국 정복

532년
금관가야 정복

632년
선덕여왕
신라 제27대 왕 즉위

648년
김춘추
당에 가서 군사 원조 요청

654년
태종무열왕
신라 제29대 왕 즉위

660년
백제 정복

문희와 관련 있는 # 인물들

김유신

김유신은 용맹하고 지략이 뛰어난 신라의 명장으로, 가야 김수로왕의 12대 손입니다. 진덕여왕이 왕위를 이을 자식 없이 죽자 김춘추를 왕위에 올리고, 상대등이라는 최고 관직에 올랐습니다.

태종무열왕 : 신라 제29대 왕

진지왕의 손자로 신라 최초의 진골 출신 왕입니다. 왕위에 있었던 기간은 654~661년입니다. 뛰어난 외교 수완으로 당나라와 연합하여 삼국 통일의 토대를 닦았습니다.

알고 싶은 # 요모조모

신라의 신분 제도

신라에는 '골품제'라는 신분 제도가 있었어요. 골품제는 왕족을 대상으로 한 '골제'와 일반 귀족들을 대상으로 한 '두품제'로 구분됩니다. 골품제는 모두 8개의 신분층으로 나누어졌습니다. '골족'은 성골과 진골로 구분되었고, '두품'은 6두품에서 1두품까지 있었지요. 골품제에 따르면 자신이 속한 신분에 따라 맡을 수 있는 관직의 종류와 오를 수 있는 위치가 정해져 있었고, 결혼을 할 때에도 신분상의 제약을 받았습니다. 가야의 후손인 문희와 진골 출신인 김춘추가 쉽게 결혼할 수 없었던 이유도 이 골품제 때문이었지요.

668년	676년	751년	828년	888년	935년
고구려 정복	삼국 통일 통일 신라 시대 시작	불국사 창건	청해진 설치	향가집 《삼대목》 편찬	신라 멸망

궁금증을 풀어 주는 # 미로여행

Q1 김유신과 김춘추가 한 공놀이는 무엇일까요?

Q2 문희가 보희의 꿈을 샀기 때문에 정말 김춘추와 결혼한 것일까요?

Q3 김춘추와 문희가 결혼한 후 보희는 어떻게 되었나요?

Q4 선덕여왕과 진덕여왕은 모두 자식이 없었다는데, 여왕은 결혼을 하지 못했나요?

신라 시대에는 '축국'이라는 공놀이가 있었다고 해요. **축국**은 오늘날 축구처럼 발로 공을 차면서 하는 놀이였어요. 원래 중국에서 임금이 병사들을 훈련시키는 놀이로 당나라 때 우리나라에 전해졌다고 해요.

역사학자들은 문희의 **신분**이 낮았기 때문에 이런 이야기가 만들어진 것이 아닌가 보고 있어요. 엄격한 신분제 사회에서 가야의 후손인 문희와 왕족인 김춘추가 결혼하는 일이 불가능했기 때문에 그녀가 왕비가 되어야 하는 근거를 만들기 위해 꿈 이야기를 지어냈다고 보는 것이지요.

왕비가 될 꿈을 꾸고도 그 꿈을 동생 문희에게 팔아 버린 보희는 몹시 후회했어요. 보희도 김춘추를 좋아했으니까요. 이 소식을 들은 김춘추는 보희를 **후궁**으로 맞았다고 해요. 당시에는 한 남자가 여러 명의 아내를 둘 수 있었거든요.

여왕들도 **귀족**과 결혼을 할 수 있었어요. 다만 선덕여왕과 진덕여왕이 모두 자식을 낳지 못하고 죽어 여왕의 조카였던 김춘추가 왕이 된 거예요.